DAD

Cerddi gan Dadau,
Cerddi am Dadau

Cyhoeddiadau
barddas

Cyhoeddiadau
barddas

ⓟ Rhys Iorwerth / Cyhoeddiadau Barddas ©
Hawlfraint y cerddi: ⓟ Y beirdd ©
Hawlfraint y darluniau: ⓟ Matt Joyce ©

Argraffiad cyntaf: 2021

ISBN 978-1-91158-448-3

Cyhoeddwyd gan Gyhoeddiadau Barddas.
www.barddas.cymru

Mae'r cyhoeddwr yn cydnabod
cefnogaeth ariannol Cyngor Llyfrau Cymru.

Y darluniau a'r clawr: Matt Joyce.
Dyluniad: Tanwen Haf.

Argraffwyd gan Wasg Gomer, Llandysul.

DAD

Cerddi gan Dadau, Cerddi am Dadau

Golygwyd gan Rhys Iorwerth

Cynnwys

Rhagair

Ddwy flynedd yn ôl mi gyhoeddodd Barddas gyfrol hyfryd o gerddi gan famau, ac am famau, dan olygyddiaeth Mari George. Tro'r tadau ydi hi rŵan, a dyma ddiolch i Barddas am y fraint o gael casglu'r cynnwys ynghyd.

Braint, meddaf, ond agoriad llygad hefyd. Wrth bori a chwilota, tipyn o syndod oedd gweld cynifer o'n beirdd ni sydd wedi sgwennu am eu tadau, neu am fod yn dadau, dros y blynyddoedd. Eithriad oedd y rheini oedd heb wneud hynny. Roedd y pentwr yn fwy o lawer na'r hyn roeddwn i wedi disgwyl dod ar ei draws.

Eto i gyd, efallai na ddylai hynny fod wedi peri sioc o gwbl. Tydi perthynas pawb â'i dad, neu â'i blant, yn un o elfennau mwyaf sylfaenol bywyd? Perthnasau ydi'r rhain sy'n gyffredin inni i gyd, ac eto mor unigryw i bawb.

Mi welwch fod yma gerddi i gychwyn am y profiad rhyfeddol hwnnw o ddod yn dad, ac o fod yn dad. Mi glywn ni wedyn am y modd mae'r profiad hwnnw'n rhoi uchelseinydd i dician y cloc, ac yn arwain, yn hwyr neu'n hwyrach, at y sylweddoliad y bydd yn rhaid i bob plentyn dorri'i gŵys ei hun.

Wrth i hynny ddigwydd, mae beirdd yma sy'n bwrw goleuni ar y gwahaniaethau anorfod sy'n gallu ymddangos rhwng y cenedlaethau. Ond mae cerddi hefyd sy'n ein hatgoffa am yr olyniaeth a'r parhad a'r dolenni cyswllt teuluol sy'n para'n gryf er gwaethaf bwlch y blynyddoedd.

Dolenni cyswllt ydi'r rhain sydd ar dro'n datod ac yn amlygu un o wirioneddau mwyaf chwerw bywyd: y bydd yn rhaid i'r rhan fwyaf ohonon ni ddelio â cholli tad, ac ambell un â cholli plentyn. Fedrwn ni ddim dianc rhag arswyd hynny, ac mae yma waith sy'n rhoi mynegiant ingol i'r profiadau hyn.

Ond mae yna reswm pam mae'r cerddi hyn mor ingol, wrth gwrs – mae'r galar gan amlaf yn deillio o gariad a chynhesrwydd ac agosrwydd rhyngon ni. Ac mae'r gyfrol yn cloi'n ddyrchafol wrth i'r beirdd ddathlu'r berthynas hon, neu ganu eu teyrngedau'u hunain i'w tadau arbennig nhw.

Yn Barddas, diolch i Alaw Mai Edwards am ei chyngor parod a'i graen golygyddol, ac i Alaw Griffiths am roi trefn ar y cyhoeddusrwydd. Diolch i'r darlunydd Matt Joyce am roi lliw a llawnder i'r tudalennau. Diolch i chi am brynu ac am ddarllen. Ond yn fwy na dim, diolch i'r holl feirdd a'r gweisg am gael cynnwys eu gwaith nhw yma ac am roi portreadau mor amlochrog ac amlweddog inni o'u byd.

Mi ddylwn ddiolch hefyd i fy nhad fy hun am roi magwraeth imi a fydd yn golygu fy mod innau'n magu fy mhlant mewn ffordd ddigon derbyniol, gyda lwc. Ers dod yn dad i Magw, ac yn fwy diweddar i Idwal, mae'n amlwg mai dysgu ar y job y mae rhywun. Tydi bod yn dad perffaith ddim yn bosib. Ond yn yr ysbryd hwnnw, rydw i'n cyflwyno'r gyfrol iddyn nhw, gan ofyn am faddeuant am fy ngwendidau niferus wrth wneud.

> Weithiau'n gân, weithiau'n gwyno. Weithiau'n hurt,
>   weithiau'n hwyl diguro.
> Weithiau'n flin, wedi blino.
> Ond Dad o hyd ydi o.

Rhys Iorwerth, Caernarfon, Mai 2021

Heno, rhywfodd, anoddach
yw i mi gysgu mwyach ...

Crud

Heno, rhywfodd, anoddach
yw i mi gysgu mwyach
heb wefr un symudiad bach.

Trof ben i wrando, ennyd,
ar wyrth dy greu, wrth dy grud;
amau, nes iti symud!

Rwy'n ysu, a nesu wnaf
am eiliad, ac mi welaf
ddwy farblen yn serennu,
wyneb sws ar ôl 'Be sy?',
gweld pedlo'r coese corrach,
arabedd y bysedd bach,
a siom peidio dy godi –
dagrau dau dy grio di.

A synhwyri di dy dad,
fy ngeirie i, fy nghariad,
yn dy enaid bach dinam
o'r tu fewn i grud dy fam?

Rhys Dafis

Mis bach

(i Rhiannon)

Fe ddoist yn gynt na gwyntoedd
gaea' blin, yn rheg a bloedd;
yn gynt na'r cennin gwantan
sy'n lluwch melyn ym mhob man;
yn gynt na'r un blagur gwyn
ar wegil noeth y brigyn:

fe ddoist cyn i'r borfa ddod
a llafnau'r glaw yn llofnod;
dod yn rhyfeddod na fu
dy ail yn unrhyw deulu;
yn gynt na defaid ac ŵyn
a gwennol gynta'r gwanwyn:

cyn i Ebrill Cochwillan
dorri gair, doist ti â'r gân
i farchogaeth, ferch Ogwen,
a'th iaith yw dy hudlath wen,
â'r eira'n frech ar lechi
doist cyn dy ddisgwyl di,

ond eto, nid oedd dy atal,
yn ddi-oed, dof innau i'th ddal.

Iwan Llwyd

I Lewys Dafydd

8.12.20

Er gwaetha pob anobaith – eleni,
mi laniaist un noswaith
yn fach, fach i flwyddyn faith
orffen yn hollol berffaith.

Gethin Wynn Davies

Tri o'r gloch y bore

Pan fyddo dy wylo di yn rhy hallt
   i'r un si-hei-lwli
  na chwtsh yn fy mreichiau i,
  fe'th ddiawliaf a'th addoli.

Ceri Wyn Jones

Fy mab

Heno, a'r nos yn cosi
sidan brau dy aeliau di,
i ba dir a thros ba don
ei di drwy'r oriau duon?

Aros wyf dan olau'r sêr
yn eos ac yn wiwer.
Un wyf â phob anifail
a ddaeth at wely o ddail
i warchod, yn bioden,
yn walch, yn dylluan wen.
Un wyf â'r cadno hefyd,
heno, greddf sydd wrth dy grud.

Â dim ond fy ngofid i
yn cydio'n y plancedi,
gyda phob un llygoden,
gyda'r frân a'r wylan wen
byddaf yma'n eu canol
hyd y nos nes doi di'n ôl.

Meirion MacIntyre Huws

Cwtsh

Pan syrthia'r crwt o'i sgwter — o'i ddolur
ei ddal yn ddifater
a wnaf i am ennyd fer
yn dynn, dynn ac yn dyner.

Eurig Salisbury

Creadur

Nôl ei baent, canolbwyntio,
y fi'n dweud stori, a fo
efo'i frwsh a'i haid o frain
yn hela bwystfil milain,
yn ei erlid ar garlam,
hwnnw'n rheg, a'i geg yn gam.

Mor hawdd i mi yw'r addo
mai gwaith ei ddychymyg o
yw popeth ar y papur,
ond o weld ei gleddyf dur,
rwyf nawr tua therfyn nos
yn darian, wedi aros.

Owain Rhys

Cymod

Yn y geiriau o gerydd
un funud ddisymud sydd,
a thad yn traethu wedyn
a chael fod ei ferch ei hun
yn fud, a'r byd fel pe bai'n
beichio'n ei llygaid bychain.

Ond ar waith, yn ei draethu,
uwch y sŵn, tynerwch sy;
yr un gwg sy'n troi yn gân
ac â'u gofal yn gyfan
y ddau gam ddaw i gymod
wrth i'r beichio beidio â bod.

Tudur Dylan Jones

Nawr dwi'n deall llofruddiaeth

''Nei di'm gwir ddeall cariad
nes dal dy blentyn ar dy fron,'
meddai ffrind
ac oedd, roedd hynny'n wir,
o'n i'n deall yn syth.
Ond tyfodd teimlad mwy amwys
a nawr y peth mwya dwys dwi 'di dysgu yw'r ffaith
bo gen i'r fath *gapacity* am lofruddiaeth ...

Nid mewn gwirionedd yn amlwg,
ond mae pwt bach o ffws
yn cwrso hunllefau i glymu fy mol
a mynnu senarios i'n *schedule* dyddiol.
Dwi'n gorfeddwl y brwydro
i'w hachub o ryw berygl
a bob dydd dwi'n euog
o neud rhywbeth *terrible*
yn fy isymwybod.

'Ti'n neud e 'to,' mae 'ngwraig yn mynnu,
sa i'n sylwi bo fi'n neud e ond mae'n gweld y *signs*,
'mod i'n ymladd y gangs a'u taflu i'r brain,
neu saethu'r boi diarth sy'n dilyn yr hyna',
'shgwl pa mor wyn yw dy ddyrnau,
mae dy ên yn dynn, a'r *vein* yn dy dalcen
yn pwmpio'n ddi-stop a ti'n wyn fel y galchen.
Chill out, mun. Ma' nhw'n iawn.'
Ond wela' i'r byd yn ddanjerus
a sa i'n hapus tan ma' nhw 'nôl
am gwtsh ar fy nghôl.

Yn y blynydde cynnar, 'sen i'n ishte yn gwgu,
yn dyfalbarhau i ddilyn rhyw fwgi-bo
ddôi o gysgod fy nychymyg
i frifo fy mhlant, neu'n waeth, i'w dwgyd!
Dwi'n meddwl weithie am eu micro-chipio
'da rhyw ap i mi cael pipio i fewn
bob hyn a hyn, ddim yn gydol-oesol,
achos dwi wedi pendroni am y conyndrym moesol,
ond sut arall alla' i stopio'r *arsehole*
sy'n dilyn nhw rownd 'da clorofform
â transit 'di parcio lawr y ffordd?

Heb CCTV yn gwylio'r *station*
a 'sneb 'di nodi'r *registration*
na pa gyfeiriad gyrrodd y fan
a dyna ni ...
fy mhlant, 'di mynd am byth.
Madeleine McCanned.

Ond nawr maen nhw'n hŷn, yn bump ac yn flwydd,
mae'r hunllefau 'di lleddfu'n eitha rhwydd
a heddi, sa i'n poeni hanner cymaint
achos nhw yw'r rhai sy'n helpu fi
i ddangos so'r byd yn fwystfilod i gyd,
ma'r peryglon yn naturiol, yn rhan annatod
o lywio taith bywyd, o gydnabod
alla' i'm gwarchod nhw am byth
na chael fy meio am fod yn ffug-lofrudd.

Siôn Tomos Owen

Y tadau pêl-droed

'Dan ni'n cario'r pyst i'r caeau barugog
yn drwsusa tracsiwt a hetiau gwlanog,
ac yn gwylio'r gêm mewn rhesi cegog ...

c'laen, Nathan, lladda fo!

'Dan ni'n smentio perthynas trwy arthio'n cefnogaeth,
yn ffyrnig ein cymeradwyaeth,
yn rhedeg ystlys ein rhwystredigaeth ...

be ti'n meddwl ti'n neud, hogyn?!

Mae crysau gwynion ein meibion yn chwythu
'nôl a 'mlaen ar hyd y cae, nes i'r gêm sgwennu
ar bob tudalen o hogyn glân ... a'i faeddu.

ar ei hôl hi, ar ei hôl hi! … rhy hwyr!

Ac wedi'r chwib ola ar ein cydymgais,
tewi mae'r parti tadau deulais
ac yn cario'r pyst fel croes ein huchelgais …

da iawn, hogia … ennill tro nesa …

Ac wrth i'r eira hawlio'r caeau
anodd dweud pwy yw'r diniweitiaid mwya —
hogiau bach y crysau gwyn? — 'ta'u manijars o dadau?

Ifor ap Glyn

Dangosaf iti lendid

Dere, fy mab,
i weld rhesymau dy genhedlu,
a deall paham y digwyddaist.
Dangosaf iti lendid yr anadl sydd ynot,
dangosaf iti'r byd
sy'n erwau drud rhwng dy draed.

Dere, fy mab,
dangosaf iti'r defaid
sy'n cadw, mewn cusanau, y Gwryd yn gymen,
y fuwch a'r llo yng Nghefen Llan,
bysedd-y-cŵn a chlychau'r gog,
a llaeth-y-gaseg ar glawdd yn Rhyd-y-fro;

dangosaf iti sut mae llunio'n gain
chwibanogl o frigau'r sycamorwydd mawr
yng nghoed dihafal John Bifan,
chwilio nythod ar lethrau'r Barli Bach,
a nofio'n noeth yn yr afon;

dangosaf iti'r perthi tew
ar bwys ffarm Ifan a'r ficerdy llwyd,
lle mae'r mwyar yn lleng
a chnau y gastanwydden yn llonydd ar y llawr;

dangosaf iti'r llusi'n drwch
ar dwmpathau mân y mwsog ar y mynydd;

dangosaf iti'r broga
yn lleithder y gwyll,
ac olion gwaith dan y gwair;

dangosaf iti'r tŷ lle ganed Gwenallt.

Dere, fy mab,
yn llaw dy dad,
a dangosaf iti'r glendid
sydd yn llygaid glas dy fam.

Dafydd Rowlands

Wrth roi heibio'r mynydda am chydig

Gwyddwn, wedi imi ddod yn dad
y byddai pris uwch ar unigedd o lawer
a'r coed yn gwario'u ceiniogau'n rhy rad

bellach. Wrth imi dynnu'r bŵts lledr
o'r bŵt i wneud lle i'r bygi, ro'n i ar dân eisiau
dweud wrth y bychan nad oes ots am amser

coll, gan mai'r bryniau hyn sydd piau
amser. Eisiau dangos iddo pryd
mae'r mynydd yn tyfu'n fwy wrth i'r eira gau,

y gall y graig gadarna ddarnio'n ei ddwylo hefyd.
Hoffwn allu dangos iddo,
waeth faint o erydu fydd ar ei fyd

bach, y bydd y mynydd bob amser yno.
Ond fedra i ddim dweud y pethau hyn
gan na wn ydyn nhw'n wir ai peidio ...

Mi ddof ag o'n ôl i'r tir uchel, un dydd gwyn
pan fydda i'n hŷn, a gwahanol,
pwysau'n ein pac, a'n sgyfeintiau'n dau yn dynn,

finnau'n erydu shedan bach, yn raddol,
a'r bryniau a'r brwyn eu hunain ryw fymryn yn hŷn.
Mi driaf ei arwain yn dadol

ond mi grwydrith o o 'mlaen, er mwyn cael nabod
y graig a'r grug a'r gors yn ei ffordd ei hun;
ac mae'r bych yn gwybod hyn i gyd yn barod.

Llŷr Gwyn Lewis

Fy un twyll

Weithiau,
yn wystl i hormons
neu â'i hanadl yn drewi o chwd y bore
neu â'i bol afrosgo'n gwneud ei chwsg yn gam,
byddai'n gofyn: ydi o werth hyn?

Ac weithiau,
byddai'n holi: ydi hi'n deg
geni hwn yn un o bobl sy'n diflannu –
ei fagu mewn pentre sy'n dywyll yn y gaeaf,
ei yrru allan i chwarae â phridd a gro
a'i suo i gysgu ag emynau cnebrwng?

Byddai'n pesychu chwerthin wrth glywed
geiriau nobl ein parhad: dydi traddodiad
yn ddim ond moeli'n ifanc fel tad a thaid;
dydi etifeddiaeth yn ddim ond mynd, yn frain
ryw bnawn wedi'r angladd, i dŷ oer
i fachu llestri a dodrefn retro,
troi trwyn ar ornaments.

Ond wedyn,
er bod y darfod yn cicio'n hegar yn y nos,
pa obaith sydd ond hwn?

Caiff ddriblo cerddi yn Sycharth
heb ddallt ei fod yn fwy na bryncyn glas;
caiff fildio wal â'r Bruce a'r *Oxford Book*;
caiff godi caer yn Ninas Dinlle
a rhedeg ras â llanw Ynys Llanddwyn.

Efallai y gwnaiff o dŷ
o ddarnau Lego'n gweddillion ni.

Guto Dafydd

Taflu cerrig

Aethom ni am dro lawr at yr afon,
at encil fach rhag sŵn y siop a'r parc,
law yn llaw at lan o gerrig llwydion
lle daw y criwiau iau i osod marc
eu chwyldro ar bileri'r pontydd pren
a chreu argaeau. Yno cydiaist ti,
'rôl rhedeg at y dŵr, mewn carreg wen
a'i thaflu'n lletchwith. Do, fe chwarddom ni
ar gylch bach yn y dŵr, yr eiliad hir
nes bod y llif yn sgubo'r siâp i'r bae,
at siapiau coll yr oesau, olion tir
nad yw'n bod, ond rwy'n llon, oherwydd mae'r
un garreg fach a deflaist ti o'th law
yn drwm ar lannau Rheidol yn y glaw.

Hywel Griffiths

Gorchest

(i Dylan yn flwydd a hanner)

Hudaist air arall allan — i'n synnu,
a'i sŵn iti'n degan,
nes troi'r byd i gyd yn gân
drwy huodledd dy rwdlan.

Huw Meirion Edwards

Plentyndod

Wnes i 'rioed ddychmygu
y byddai plentyndod fy rhieni
wedi teimlo mor agos iddyn nhw
ag y mae f'un i i mi heddiw,
wrth ddal llaw fy mab.

Iwan Huws

Ym mabolgampau fy merch

Fe glyw y gwn,
fe'm clyw, mi wn
drwy'r byd yn grwn
nid yw ond munud,
fe red, fe red,
mor llawn o gred
fel lemonêd
mor llawn o
fywyd.

Ac yn y ras
mae'n magu blas
o deimlo ias
rhyw ryddid
na phrofodd hi
trwy 'mreichiau i
ar noson ddu
ddychrynllyd.

Mae'n mynd ei hun
gan dyfu'n hŷn
fel 'tae â chŷn
yn naddu'i llwybyr,
mae mor ddi-fraw
yn teithio draw
mor bell o'm llaw
wrth fynd ar grwydyr …

Aneirin Karadog

Oed

(fy mab a 'nhad, Awst 2013)

Ei wegil deg a thrigain
a wêl y môr, a'r haul main
ar y trai sy'n sgubo'r traeth,
yn chwilio fel drychiolaeth.

Ond daw mebyd machludo
i fae, ac mae'i hafau o
â haul eigion ar lygaid
yn euro'r don; ŵyr a'i daid
yn hel hindda ar Landdwyn,
a'r golau'n gweld dau yn dwyn
ennyd fach, a doeau fil
hogyn yng ngwên ei wegil.

Llion Pryderi Roberts

Gair o brofiad

Syndod yw fy mod yn fyw ar ôl fy holl dreialon,
Dyma air o brofiad, Huw fy mab, o waelod calon.
Paid cymysgu petrol, haidd a phowdwr du
Ac yna'i roi i sychu ar ben y stôf yn tŷ,
Na ro dy ben mewn popty i weld os ydi o 'mlaen;
Diffodda injan moto-beic cyn chwarae efo'r tsiaen;
Paid ceisio ymresymu â hwch sydd wedi gwylltio
Na ffidlan efo ffiwsus yn y garat pan mae'n melltio;
Peryg iawn mofyn pêl o ardd sy'n llawn o wydda;
Gwirion iawn, tra bo hi'n troi, yw edrych mewn i fudda;
Os am unrhyw reswm rwyt am odro dafad fanyw,
Gwna di'n hollol sicr, Huw, nad maharen ydyw;

Beicio'n noeth sydd ddim yn ddoeth hyd lonydd Ceredigion
Ac wedyn cael dy weld gan bawb ar *Police, Camera, Action*;
I ddwgyd ieir, defnyddia nwy, i'w mygu bob yn un,
Ond gwylia rhag 'ti gael dy ddal, 'di gasio ti dy hun;
Paid cadw gwn wrth y gwely yn agos at y ffôn;
Lle bynnag arall yr ei di, wel, paid mynd i sir Fôn;
Cer di rŵan, Huwcyn, dyna ddiwedd ar bregethu:
Torra gŵys fel cwys dy dad a fedri di ddim methu.

Jôs Giatgoch

Tŷ gwydr

Camaf i'r arogl ...

... a dwi gyda thi eto,
yn dal fy nhomato cyntaf,
fel dal gwres pridd mis Awst
ac enwau'r blodau blêr
drwy'r drain,
dal whilber o'n holl wynebau,
dal cân aderyn wrth iddo'i chanu,
dal stori hapus
nes ei thorri o'i choesyn,

dal gronyn o hedyn
cyn deall ystyr hau,
cyn deall yr ochenaid o awel
ar wydr,
dal ein holl Awstiau
cyn iddyn nhw grymu,
dal dy law
cyn i tithau fy ngadael i
fynd i dyfu.

Mari George

Dilyn y sêr

Pan mae pob dydd yn troi yn un,
a phob bore'n teimlo fel bore Llun,
ei eiriau o sy'n gadarnhad,
'Dilyn y sêr,' medda 'nhad.

Pan mae fy mhen yn troi a throi,
a'r byd yn cymryd, ond ddim yn rhoi,
yr un peth yw ei gân bob tro,
'Dilyn y sêr,' medda fo.

Pan mae 'nyfodol i fel pos,
pan fydda i'n effro drwy y nos,
dyma mae'n ei ddweud wrtha i,
'Dilyn y sêr, cofia di.'

A phan mae breuddwyd yn teimlo'n rhy fawr,
a minnau am aros a 'nhraed ar y llawr,
mae Dad yn dal i ganu'n bêr,
'Cofia di ddilyn y sêr.'

Llio Elain Maddocks

Plentyn ar siglen

Fy mhen-blwydd dwyflwydd, rhwydd yr ei
ymlaen, yn ôl, yn ôl, ymlaen.
Amgenach haf na hwn ni chei,
cyn cloi pob munud yn y maen,
cyn fferru'r breuddwyd, rhwymo ddoe'r
gorfoledd yn y garreg oer.

Tefli'r chwerthiniad dwyflwydd oed
yn belen gron o'm blaen, a gwres
yr haul yn cydio uwch y coed
yn dy chwerthiniad di'n y tes,
a haul ein haf yn taflu'n ôl
dy chwerthin di, dy ffwlbri ffôl.

Eiliadau yw sigladau'r glwyd,
rwyt tithau'n mynd ar bendil cloc;
nid oes a'u deil na rhaff na rhwyd,
ni bydd un eiliad danat toc,
na gorfoleddu dy ddwy flwydd
yn sglein yr haul, na siglo'n rhwydd.

Pan fydd y siglen yn yr ardd
yn siglo'n wag, nes galw'n ôl
oriau ein dyddiau di-wahárdd,
y dyddiau digyffelyb, ffôl,
cofiaf dy chwerthin yn fy ngŵydd,
cofio cofleidio dy ddwy flwydd.

Alan Llwyd

Roedd yr haul

Roedd yr haul wedi rhoi sgrwb i'w wyneb yn sbesial,
A'r awyr wedi rhoi hwb i'r cymylau dros riniog y gorwel,
Roedd yr afon yn troelli
Fel petai penelin wedi bod wrthi yn pwnio,
Efo sheino, ddisgleirdeb iddi;
Yn y deilio tyner roedd fflachio gwyrddni
Egni anniffygiol y gwanwyn
Neu, fel petai, olion sbringclinio:
Roedd y wlad fel pìn mewn papur.

Diwrnod i deulu fynd am dro
Drwy lawenydd destlus y byd.

'Edrycha, fy mab,
Yma y bu Llywelyn
Yn ei gaer yn Abergwyngregyn.'

'Dwi ddim eisio.'

'Y gog, glywi di'r gog?'

'Dwi 'di blino.'

'Arhosa rŵan a sbio
Ar sgleinio pell y môr.'

'Dwi ddim yn leicio.'

'Ddim yn leicio! Yli,
Mwynha dy hun, y mwnci,
Neu mi gicia' i dy din di.'

Wedyn, rywfodd, doedd y lle
Ddim yn hollol fel pìn mewn papur,
Nac ychwaith yn lle y gellid
Yn daclus ei roi o dan wydyr.

Gwyn Thomas

Whilo

O'n i wastad bach yn od, sbo.
Wastad jyst tam' bach yn *queer*.

Ond o'n i'n lico pêl-dro'd,
yn union fel y lleill,
fel Dad,
fydde'n mynd â fi i'r parc
bob dydd Sadwrn i whare,
a'r gêm yn dod i ben
pan ele'r bêl i berfedd y llwyni.

Dyddie creu pyst â siwmperi o'dd rheini
cyn i Dad gilio fel gwallt at ochr y ca',
ei wên yn wannach na'r rhieni eraill,
ac ynte'n rhedeg ar ôl ei fab o hyd
trwy stadiyme pell ei lyged,
siom yn rhwyd am ei dra'd
a baner wen ei henaint yn chwifio …

Dyddie a doddodd fel lolipop
ar fy nhafod, a'n gadel ni'n dau
yn dal i gipedrych tua'r llwyni.

Gwynfor Dafydd

Arfogi

Mynnais wrth fynd i'r mynydd
dy herio, Dad, dweud drwy'r dydd
mai ofer ydi'r geriach
sy'n sigo, sigo dy sach.
Henwr wyt, nid ei ar frys
â'th arfogaeth ryfygus.
Es fy hun, yn hogyn hy
o dy flaen a diflannu.

Ond â gwynt main brain y brig
fel Ionawr o fileinig
stopio chwerthin wnes innau.

Ond Dad, arweiniaist ni'n dau
yn ein blaenau gan blannu
gwadnau ar y creigiau cry.
Bwrw hollt. Creu llwybrau iâ.
Hen ŵr, nad ofnai eira.

Yn brifo o ddibrofiad,
hogyn fu'n dilyn ei dad.

Gruffudd Owen

Diogelwch

Refio oedd ar ochr y Foel
Â'i og ar ongl anhygoel,
A'r tractor yn how-orwedd
Ar wair lle na allai'r wedd
Sefyll. Hafau 'nôl safai
'nhad fel beirniad yn gweld bai
Arnaf; bob haf dwedai, 'Paid,
Ar fy llw, 'nenw'r enaid'.

O'r un fan t'ranaf innau
Eiriau tad, rhegi'r to iau,
Am y llethr na wêl trem llanc,
A'r rhiw na wêl yr ieuanc.

Tegwyn P. Jones

Pontydd

(detholiad)

Tad a mab, hawdd adnabod – o wyneb,
  ôl y genyn hynod.
 A natur yn annatod
 yw llinyn bywyn eu bod.

Eu llinach ydyw'r llinyn; – hen edau
  cyndeidiau yn estyn
 o enynnau y ddau ddyn,
 edau eiddil rhwng deuddyn.

Gwenallt Llwyd Ifan

Grisiau

Dwi'n aml yn eu dringo fesul dwy.
Ar frys i fynd ymlaen, medd rhai, yn fawr
o giwiwr — ac o'r ysgol ddaeth y clwy.
Roedd stafell ddosbarth 'nhad 'mhen draw'r ail lawr
a thestun sbort oedd hyd ei gamau bras:
yr 'hirgoes' oedd ei enw ar y buarth.
Gallai fod yn sychlyd, weithiau'n gras
wrth lolyn, eto nid oedd yn ei gyfarth
ddannedd. Ac fel mab i athro uwchradd,
pleidiol oeddwn i'r penbyliaid, awn
yn is i'r seler i gael bod yn gydradd,
honni dod o gyff gwahanol iawn.
Ond roedd fy mhytiau coesau, 'gen i go',
yn dringo fesul dwyris, fel gwnâi o.

Myrddin ap Dafydd

Etifedd

(er cof am fy nhad a fu farw pan oeddwn yn bedair oed)

Yn glyd a dedwydd mewn gwlad o dadau
roedd rhiant imi mewn hen storïau;
er na all bachgen ail-greu y gwenau
nac un dyluniad roi cnawd i luniau,
gwn yn iawn fod genynnau'n – drech na chof.
Â'i feiau ynof, ei fab wyf innau.

Idris Reynolds

Hen stori

Yn fab, yr oedd gennyf i – un hudol;
   Fy nhad a'i rhoes imi.
  Yn dad fy hun, d'wedaf hi
  Nes daw ŵyr ... mae'n hen stori.

Twm Morys

Ffarwelio?

Y gist gau
a chriw bach ar bwys
y clwyf yn y clai.
Ynddi, ei wedd yn ddi-wae —
ymyrraeth ymgymerwyr
wedi ymlafnio i guddio'i gur,
i roi hedd yn lle'r ofn
a chysur o barchuso.

Ni'n crynhoi,
yn tynnu'n un, yn tynhau
yn nefod y beddrod bach
a rheolau ffarwelio.

Yna rhoi llaw, un i'r llall —
yn y cyfarch a'r cofio,
roedd hiraeth cenedlaethau.
Ynddyn nhw ei ddwyn o'n ôl.

Adnabod wynebau
o dro'i drwyn, o'i wên a'i wallt,
a'n criw unig cryno'n
adlais o'i lais a'i lef,
yn garreg ateb i'w wyneb o.

Dylan Iorwerth

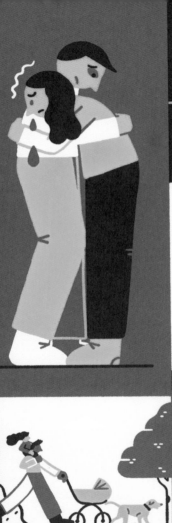

Marwnad Siôn y Glyn

(golygwyd gan Dafydd Johnston)

Un mab oedd degan i mi;
Dwynwen, gwae'i dad o'i eni.
Gwae a edid, o gudab,
i boeni mwy heb un mab.
Fy nwy ais, farw fy nisyn,
y sy'n glaf am Siôn y Glyn.
Udo fyth yr ydwyf i
am benáíg mabinogi.

Afal pêr ac ederyn
a garai'r gwas, a gro gwyn;
bwa o flaen y ddraenen,
cleddau digon brau o bren;
ofni'r bib, ofni'r bwbach,
ymbil â'i fam am bêl fach;

canu i bawb acen o'i ben,
canu 'wô' er cneuen;
gwneuthur moethau, gwenieitho,
sorri wrthyf i wnâi fo,
a chymod er ysglodyn
ac er dis a garai'r dyn.

Och nad Siôn, fab gwirion gwâr,
sy'n ail oes i Sain Lasar.
Beuno a droes iddo saith
nefolion yn fyw eilwaith;
gwae eilwaith, fy ngwir galon,
nad oes wyth rhwng enaid Siôn.

O Fair, gwae fi o'i orwedd,
a gwae fy ais gau ei fedd.

Yngo y saif angau Siôn
yn ddeufrath yn y ddwyfron;
fy mab, fy muarth baban,
fy mron, fy nghalon, fy nghân,
fy mryd cyn fy marw ydoedd,
fy mardd doeth, fy mreuddwyd oedd,
fy nhegan oedd, fy nghannwyll,
fy enaid teg, fy un twyll,
fy nghyw yn dysgu fy nghân,
fy nghae Esyllt, fy nghusan,
fy nerth, gwae fi yn ei ôl,
fy ehedydd, fy hudol,
fy serch, fy mwa, fy saeth,
f'ymbiliwr, fy mabolaeth.

Siôn y sy'n danfon i'w dad
awch o hiraeth a chariad.
Yn iach wên ar fy ngenau,
yn iach chwerthin o'r min mau;
yn iach mwy ddiddanwch mwyn,
ac yn iach i gnau echwyn,
ac yn iach bellach i'r bêl,
ac yn iach ganu'n uchel,
ac yn iach, fy nghâr arab,
iso'n fy myw, Siôn fy mab.

Lewys Glyn Cothi

Galarnad

Trwy bennod ein trybini — gwn y'n dwg
    Ni'n dau ryw dosturi
  Yn y man, ond mwy i mi
  Glyn galar fydd Glangwili.

Mae'n galar am ein gilydd, — am weled
    Cymylu o'r wawr newydd,
  Galar dau am gilio o'r dydd,
  A galar am gywilydd.

Dygwyd ein Esyllt egwan, — man na chaiff
    Mwy na chôl na chusan,
  Beth sy'n fwy trist na Thristan
  Yn ceisio cysuro Siân?

Ei hanaf yn ei hwyneb, — yn gystudd
    O gwestiwn diateb.
  Ac yn ei chri i ni, er neb,
  Anwylder dibynoldeb.

Nef ac anaf fu'i geni, — caredig
    Gur ydoedd ei cholli,
  A didostur dosturi
  Ei diwedd diddiwedd hi.

Amdo wen fel Madonna, — yn storom
    Y distawrwydd eitha,
  Ar ei bron cenhadon ha',
  A'i grudd oer fel gardd eira.

O dan y blodau heno – mae hen rym
    Mwyn yr haf yn gweithio,
  A chysur yn blaguro
  Lle mae'i lludw'n cadw'r co'.

Yn nagrau'r gwlith bydd hithau – yn yr haul
    Wedi'r elom ninnau,
  Yma'n y pridd mwy'n parhau,
  A'i blawd yn harddu'r blodau.

Nid yw yfory yn difa hiraeth,
Nac ymwroli'n nacáu marwolaeth,
Fe ddeil pangfeydd ei alaeth – tra bo co',
Ei dawn i wylo yw gwerth dynoliaeth.

Dic Jones

Ynys

(detholiad)

Yma mae mynwent i'w mam a minnau,
un a'i phob diwrnod yn Sul y Blodau.
Yn y tawelwch bydd i'r petalau
eu llond o siarad lle nid oes eiriau.
Cyflead yw o'n serchiadau — ati,
un a roes inni ei holl rosynnau.

Einion Evans

Colli Elin

Mae cystudd rhy brudd i'm bron; — 'r hyd f'wyneb
    Rhed afonydd heilltion:
  Collais Elin, liw hinon,
  Fy ngeneth oleubleth lon!

Goronwy Owen

Galarnad ar ôl Jane

(detholiad)

Ymholais, crwydrais mewn cri, — och alar!
    Hir chwiliais amdani;
  Chwilio'r celloedd oedd eiddi,
  A chwilio heb ei chael hi.

Robert ap Gwilym Ddu

Atal dweud

Un poenus o dafotglwm oedd fy nhad
   ar hyd ei oes hiraethlon, flin. Bu hyn
yn fwrn go drwm, a thipyn o ryddhad
   oedd bwrw ei flynyddoedd olaf, prin
heb orfod dweud dim byd. Ni soniai am
   ei dylwyth o ran gwaed, na'i ofid, chwaith;
taw piau hi, mae'n debyg, pan fo'ch mam
   yn rhoi ei baban i rieni maeth.

Ond cofiaf fyth, a'i fywyd bron ar ben,
   yr hylif gwaedrudd yn y tiwbiau hir
a'r crwt amddifad y tu ôl i'r llen
   yn llefain am ei fam, a'i eiriau clir
mor huawdl o boenus, ac yn ei lef
dim ond 'ca-cariad' yn drech nag ef.

Meic Stephens

Theatr

Roeddech chi'n actio bod yn hen
Ac yn argyhoeddi. Er enghraifft — y tuchan

Wrth fethu â chodi o'r gadair, a finne'n
Eich tynnu i fyny — dawns roc'n'rôl;

Y cerdded am oriau, law yn llaw
Fel plant, hanner milltir yr awr.

Chwarae teg, fe studioch chi'r 'method' yn iawn,
Gyda'r wisg: siwmper enfawr, y trowsus clown

Hyd at eich ceseiliau. Buoch chi'n ymarfer syrthio
Ar lawr y gegin ond roedd torri'ch clun,

Yn fy marn i'n mynd yn rhy bell.
Roedd gwallt du'n eich siwtio chi'n well.

Ond, Dad, rown i'n gwybod mai ffug oedd y cyfan:
Y cloffni, dim dannedd a'r *dressing gown*.

'Ddwedes i ddim, ond chwarae'r gêm
Hyd y diwedd. Nawr, ry'ch chi'n esgus bod yn ddim.

Gwyneth Lewis

'Nhad

Oedais wrth gladdu'r hedyn – uwch dy arch
    a daeth ymhen blwyddyn
  drwy ryfeddod y blodyn
  aileni dy gwmni gwyn.

Nia Owain Huws

Hen derfyn

(gwasgaru llwch fy nhad yn Lan Môr Llan, Amlwch)

Llinell od fel llinyn edau,
aur brau ar oriawr cyn-deidiau
a'i boer yn barad 'nôl a 'mlaen
a'r ewyn yn rheg ar ei enau.

Mewn ennyd byr, byrlymai,
a mygu'i hun wrth fy ngwadnau
ac o rywle o dan ei donnau
sleifiodd i'r lan ar ei liniau,
ac ym mhoced gefn ei glogyn hallt,
fe gariai ing hen angau.

O don i don fe'th roddwyd di
yn Lan Môr Llan yn un â'r lli.

Agorwyd bedd
ond boddwyd fi.

Mae'r llinell bell, yn wir, yn bod
a'r hen derfyn, yn wir, yn ddiddarfod.

Caryl Bryn

Y daith

Galwch amdano. Mae 'nhad eisiau mynd,
Mae'r llwybyr yn glir bob cam.
Ewch chwithau i'w ddanfon i dop y maes,
Mae 'nhad yn mynd adref at Mam.

Ymgomiwch yn llawen. Boed felys y sgwrs.
Os myn rhywun wybod paham
Atebwch mai hwn yw ei ddiwrnod mawr,
Mae 'nhad yn mynd adref at Mam.

Os na chewch ei sylw wrth ganu'n iach,
Na foed i'w hen ffrindiau un nam,
Mae llygaid fy nhad ar y ffordd ymlaen –
Mae ef yn mynd adref at Mam.

Peidiwch â'i hebrwng ymhellach na'r tro,
Charles, Eliseus a Sam.
Du sydd amdanoch. Mae ef yn ei wyn.
Mae 'nhad yn mynd adref at Mam.

Hon yw ei siwrnai felysaf erioed,
Ac nid oes arafwch i'w gam.
Peidiwch â'i gadw. Mae 'nhad eisiau mynd.
Mae ar ei ffordd adref at Mam.

Dilys Cadwaladr

Rhyw bethau bach ...

(Dad)

Rhyw bethau bach sy'n dod â thi yn ôl —
nid cân y gog ar fore llachar Mai,
na'r bwtsias dan y coed, na briallu'r ddôl,
na chwaith un lle yn wag, neu blât yn llai
wrth fwrdd y gegin ar ryw fore Sul;
nid wrth fynd rownd y defaid gyda'th ffon,
a theimlo siâp dy law, a'r carn yn gul;
nid sŵn y daeargi bach, fel hen diwn gron
gan ddisgwyl am yr helfa ddiwedd dydd;
nid ar gae sioe na steddfod, lecsiwn chwaith
na phrotest heddwch dan faneri ffydd;
ni welaf di yn nagrau'r machlud maith.
Ond pan ddaw'r plant â'u chwedlau, yr wyt ti
o gylch y bwrdd yn chwerthin efo ni.

Haf Llewelyn

Fy nhad

Un dewr o hil y cewri, — roedd yn dda,
   Roedd yn ddyn o ddifri;
  'Nhad oedd hwn, ni wyddwn i
  Y gallwn weld ei golli.

D. J. Jones

Wrth fedd fy nhad

Od yw 'nhad, gennad geinwedd, — tan y gwellt
   Yn y gwyll yn gorwedd,
  Lle rhoed i lawr ei fawredd
  Fy wlychaf i lwch ei fedd.

Dewi Emrys

Aros

(ym mis Mai y bu farw fy nhad)

Wrth groesi traeth hiraethaf — am ei wên,
    aeth pob Mai yn aeaf;
    a'i oerni'n gawod arnaf
    rwy'n aros am hirnos haf.

Annes Glynn

Fy nhad

(detholiad)

Mae hanes na wn mono,
mae llwybrau'n cau yn y co'.
Ar hen fap troeon a fu,
mytholeg cwm a theulu,
mae enwau na wn monynt;
rhostir gwag yw'r ystyr gynt;
ni wn i y cof a wnaeth
furddunod yn farddoniaeth.

Roedd daear yn ei siarad,
roedd iaith y pridd, iaith parhad
ar ei wefus; canrifoedd
o'r hyn yw yr hyn a oedd.
Cyhyd ag amser oedd co'
a thafodiaith ddifudo.

Ei fugeiliaeth fu'i goleg
ac oriau dysg ara' deg
tymhorau'r oesau nes aeth
i'w esgyrn hen gynhysgaeth
diwylliant diadelloedd.
Gŵr yn byw gwarineb oedd,
yn rhoi ar gof fydrau'r gwâr,
yn deall rhithmau daear.

Clywai yr hyn nas clywem
dair erw draw. Eryr drem;
gwelai regen mewn gwenith;
ar fy ngair, fe glywai'r gwlith.
Trwy'r deall nas deallwn,
yn nhir y cyrch cyn i'r cŵn
godi'r llwynog darllenai
reddf am reddf pa ffordd yr âi.

Awr ddifyr oedd f'oriau i
yn ei glywed yn gloywi
trywydd, ailadrodd troeon
a fu o'r Berwyn i Fôn.
Lawer hwyr chwedleuwr oedd,
Gwydion y llwynog ydoedd,
cyfarwydd y cyfeiriau
yn ail-fyw yr hen helfâu.

Gerallt Lloyd Owen

Syd

Scouser oedd Syd
from Liverpool
Mi gwrddodd Gymraes
hardd, fywiog, *cool*
Syrthiodd mewn cariad
Priodi fu'i hynt
Ymgartrefodd y ddau
yn rhywle'n sir Fflint
Daeth tri o blant
Cymry, mewn ffaith
Doedd Syd ddim am
eu hamddifadu o'u hiaith
Câi'r rhain Gymraeg
yn syth o'r crud
a Syd yn dysgu
yr un un pryd

Sgowsar Cymraeg
oedd Syd cyn hir
a'n hen hen iaith
yn dal ei thir
a phlant y plant
a'u plantos nhw
i gyd yn Gymry
ar fy llw

Diolch i'r bobl
sydd bob dydd
yn bwrw iddi
yn llawn ffydd
i ddweud yn glir
wrth bawb a glyw
Mi fydd yr hen iaith
yma'n fyw

Mae miloedd fel Syd
yn ein gwlad
Ond dim ond un Syd.
Fo oedd fy nhad.

Geraint Løvgreen

Bwningen

(i Dad, ddaru ddysgu Cymraeg)

Law yn llaw, fe aethom ni
hyd lwybrau llefaredd
yn dad a merch.

Minnau'n rhuthro 'mlaen
â hyblygrwydd meddwl baban.
Tithau'n ymrafael â cheinciau cystrawen,
ymgodymu â gramadeg
a thriog rhyw synau estron.

Roedd geiriau'r hwiangerddi'n newydd i ni'n dau,
a ninnau'n creu ein dialect ein hunain.

A doedd y fwningen lygad-marblis
yn malio dim fod dy acen di'n ddoniol
a dy dreiglo di'n drwsgl.

Grug Muse

Pupur coch

Dwi'n ei glywed o'n sgwrsio
a chwerthin efo'r bychan tra'n golchi llestri.
Dweud mae o pam fod pupur coch yn dda i ni.
Mae wedi creu stori sy'n pefrio yn y llygaid teirblwydd.

'Yn ein llenwi â hapusrwydd fel siocled!'
meddai, ag argyhoeddiad ei Gymraeg newydd, hen.

A'm troed ar y gris nesaf
a dillad glân lond fy hafflau,
dwi'n aros fel lleidr i wrando;
i stwffio fy llaw mewn i'w byd bach nhw
a thorri sgwaryn melys i mi fy hun.

Wrth i mi ei lyncu, mae'n chwyddo tu mewn i mi
ac yn ail-lenwi eto y ffordd dwi'n ei weld o.

Mae blas melys y pupur coch yn wych ar fy nhafod
wrth i mi gadw'r sanau un nos Fawrth ddi-ddim.

Casia Wiliam

Fy nhad

Yn fore mewn llafurwaith — addolodd
Â'i ddeheulaw filwaith;
Ei weddi ef oedd ei waith,
A'i glod oedd ei galedwaith.

Sarnicol

Dad

Fy nhad cydnerth, fy nhad llawn chwerthin iach,
fy nhad anghyffredin;
brwydrwr, arwr, pererin;
hoff enaid praff. Fy nhad prin.

Emyr Lewis

Teyrnged

(teyrnged i John, fy llystad)

Weithiau, rhag anesmwytho,
I minnau, haws cau y co'
I ddraenen y gorffennol.

Ond teimlaf, pan af yn ôl
At y rhwyg, dan gawod drom,
D'anwes yn dynn amdanom.

Ti, yn danbaid warcheidiol,
A'r byd i gyd yn dy gôl,
A drodd, pan adawodd Dad,
Yn wynias d'amddiffyniad.

Dwi'n llwyr ddeall na alli
Ddirnad gwerth dy aberth di,
O droi y byd i dri bach,
Drwy'u niwl, yn dir anwylach.

Ti yw haul ein cyfnod du,
A'n maen, a John, am hynny,
Fy niolch yw diolch Dad,

Diolch 'fod ti 'di dŵad.

Carwyn Eckley

Fy nhad

Mab y tir ymhob toriad, — syml ei foes,
    Aml ei fawl i'w Geidwad,
   Tarian ei dŷ, tirion dad,
   A'i oes hir drosto'n siarad.

Dyfnallt

Fy nhad

Roedd henddawn y pridd ynddo — a mawredd
    Y tymhorau'n cilio,
   A byw a fydd ef tra bo
   Tyddyn yn gofiant iddo.

Tom Parri Jones

Profiad llystad

Deallaf, wrth dynnu'u dillad o'r olch
a'u rhoi fesul plygiad
yn y drâr, beth yw cariad
er nad wyf i'r rhain yn dad.

Iwan Rhys

Encilio

Weithiau byddai'r dyddiau du — 'n ei hawlio
    A hen niwl yn lledu;
  Yntau 'mhlith ei lyfrau lu
  'Godai wal rhag ei deulu.

Ni yrrai o'r dyfnderoedd — unrhyw air.
    Yno rhwng y silffoedd
  Bolltau ar eiriau a oedd
  A mudan pendrwm ydoedd.

Nid oedd wrth gyfrif dyddiau — ei hir faich
    Unrhyw falm i'w glwyfau
  Na iaith in i esmwytháu
  Na deall ei bydewau.

Ai'r un ing a lithrai'n ôl – yno i'w gell
   Yn ei gylch tymhorol?
  A ddôi yno'i orffennol
  A hen gam yn saeth drwy'i gôl?

A welai'i fam yn gwaelu? – A welai
   Yr aelwyd yn chwalu?
  Oedd o yno'n cwmanu
  Dan faich y cariad na fu?

Ond âi o hyd y pwn du, – o'i niwloedd
   Fe'i gwelem yn camu;
  Fe wawriai'r haul eto fry
  A dôi eilwaith at deulu.

Peredur Lynch

Llais

Gwelwn mewn llawer galwad
yn y nos, pan ffoniai 'nhad,
fod yntau'n y geiriau i gyd,
dôi yn dad yn y dwedyd.

Dôi yn anadl, dôi'n wyneb,
dôi'n eiliad o lygad wleb;
dod â'i wên, a'i godiad ael,
a gefyn ei law'n gafael.
Dôi yn gariad, yn gerydd
trugarog dan rychiog rudd.

Nid geiriau oer glywn, ond gwres
ei enaid lond ei fynwes.

John Gwilym Jones

Dad

Mor dawel ym mêr dyhead – wele
mae alaw yn gennad
un gair, yn floedd o gariad,
yn dweud dim ond enw Dad.

Mererid Hopwood

... un gair, yn floedd o gariad,
yn dweud dim ond enw Dad.

Cydnabyddiaethau

Alan Llwyd (gol.), *Y Flodeugerdd Englynion Newydd* (Cyhoeddiadau Barddas, 2009).

Alan Llwyd (gol.) *Yn Nheyrnas Diniweidrwydd* (Cyhoeddiadau Barddas, 1992).

Alan Llwyd, *Cerddi Alan Llwyd 1968–1990: y Casgliad Cyflawn Cyntaf* (Cyhoeddiadau Barddas, 1990).

Aneirin Karadog, *Llafargan* (Cyhoeddiadau Barddas, 2019).

Annes Glynn, *Hel Hadau Gwawn* (Cyhoeddiadau Barddas, 2017).

Caryl Bryn, *Hwn ydy'r llais, tybad?* (Cyhoeddiadau'r Stamp, 2019).

Casia Wiliam, *Eiliad ac Einioes* (Cyhoeddiadau Barddas, 2020).

Ceri Wyn Jones (gol.), *Pigion y Talwrn 12* (Cyhoeddiadau Barddas, 2012).

Ceri Wyn Jones (gol.), *Pigion y Talwrn 13* (Cyhoeddiadau Barddas, 2016).

Ceri Wyn Jones, *Dauwynebog* (Gwasg Gomer, 2007).

Dafydd Johnston (gol.), *Gwaith Lewys Glyn Cothi* (Gwasg Prifysgol Cymru, 1995).

Dic Jones, *Sgubo'r Storws* (Gwasg Gomer, 1986).

Eigra Lewis Roberts (gol.), *Merch yr Oriau Mawr* (Gwasg Tŷ ar y Graig, 1981).

Elan Grug Muse, *Ar Ddisberod* (Cyhoeddiadau Barddas, 2017).

Emyr Lewis, *Twt Lol* (Gwasg Carreg Gwalch, 2018).

Gerallt Lloyd Owen, *Cilmeri a Cherddi Eraill* (Gwasg Gwynedd, 1991).

Gwenallt Llwyd Ifan, *DNA* (Cyhoeddiadau Barddas, 2021).

Gwyn Thomas, *Enw'r Gair* (Gwasg Gee, 1972).

Gwyneth Lewis, *Treiglo* (Cyhoeddiadau Barddas, 2017).

Haf Llewelyn, *Llwybrau* (Cyhoeddiadau Barddas, 2009).

Huw Meirion Edwards, *Lygad yn Llygad* (Gwasg y Bwthyn, 2013).

Hywel Griffiths, *Llif Coch Awst* (Cyhoeddiadau Barddas, 2017).

Idris Reynolds, *Ar Ben y Lôn* (Gwasg Gomer, 2019).

Ifor ap Glyn, *Cerddi Map yr Underground* (Gwasg Carreg Gwalch, 2001).

Iwan Huws, *Gadael Rhywbeth* (Cyhoeddiadau Barddas, 2019).

Iwan Llwyd, *Be 'di blwyddyn rhwng ffrindia? Cerddi 1990–99* (Gwasg Taf, 2003).

John Gwilym Jones a Tudur Dylan Jones, *Am yn Ail* (Cyhoeddiadau Barddas, 2021).

Jôs Giatgoch, *Petha Jôs Giatgoch* (Gwasg Carreg Gwalch, 2007).

Llion Pryderi Roberts, *Tipiadau* (Cyhoeddiadau Barddas, 2018).

Llŷr Gwyn Lewis, *Rhwng Dwy Lein Drên* (Hunangyhoeddiad, 2020).

Meic Stephens, *Wilia: Cerddi 2003–2013* (Cyhoeddiadau Barddas, 2014).

Meirion MacIntyre Huws, *Y Llong Wen* (Gwasg Carreg Gwalch, 1996).

Mererid Hopwood, *Nes Draw* (Gwasg Gomer, 2015).

Myrddin ap Dafydd, *Pentre Du, Pentre Gwyn* (Gwasg Carreg Gwalch, 2019).

Peredur Lynch, *Caeth a Rhydd* (Gwasg Carreg Gwalch, 2017).

Cyhoeddwyd rhai cerddi yn *Barddas* ac yng nghyfrolau 1969, 1983, 2012 a 2014
o *Cyfansoddiadau a Beirniadaethau Eisteddfod Genedlaethol Cymru*.
Darlledwyd rhai o'r cerddi hefyd ar raglen *Y Talwrn*, BBC Radio Cymru.